Lectures  Juniors

Les Lectures ELI présentent une gamme complète de publications allant des histoires contemporaines et captivantes aux émotions éternelles des grands classiques. Elles s'adressent aux lecteurs de tout âge et sont divisées en trois collections : *Lectures ELI Poussins, Lectures ELI Juniors, Lectures ELI Seniors*. Outre leur grande qualité éditoriale, les Lectures ELI fournissent un support didactique facile à gérer et capturent l'attention des lecteurs avec des illustrations ayant un fort impact artistique et visuel.

MAURICE LEBLANC

Arsène LUPIN

Gentleman cambrioleur

Adaptation et activités de Dominique Guillemant
Illustrations de Valerio Vidali

Lectures ELI Juniors

PIERRE BORDAS ET FILS

Arsène Lupin, gentleman cambrioleur
Maurice Leblanc
Adaptation et activités de Dominique Guillemant
Illustrations de Valerio Vidali
Révision de Mery Martinelli

Lectures ELI
Création de la collection et coordination éditoriale
Paola Accattoli, Grazia Ancillani,
Daniele Garbuglia (Directeur artistique)

Conception graphique
Sergio Elisei

Mise en page
Emilia Coari

Responsable de production
Francesco Capitano

Crédits photographiques
Olycom, Shutterstock

© 2012 ELI S.r.l.
B.P. 6 - 62019 Recanati - Italie
Tél. +39 071 750701
Fax +39 071 977851
info@elionline.com
www.elionline.com

Fonte utilisée 13 / 18 points Monotype Dante

Achevé d'imprimer en Italie par Tecnostampa Recanati
ERT 108.01
ISBN 978-88-536-0776-8

Première édition Février 2012

www.elireaders.com

Sommaire

Les parties de l'histoire enregistrées sur le CD sont signalées par les symboles qui suivent :
Début ▶ **Fin** ◼

LES PERSONNAGES

ARSÈNE LUPIN

LE BARON NATHAN CAHORN

MONSIEUR
IMBERT

MADAME
RENAUD

MADEMOISELLE
NELLY
UNDERDOWN

L'INSPECTEUR
GANIMARD

Compréhension

1 **Observe les personnages aux pages 6 et 7 et écris le nom qui correspond à leur description.**

C'est un gentleman qui porte des gants blancs et un bâton, ses vêtements sont un peu usés.
C'est Arsène Lupin.

1 Cette dame est blanche de peur et porte beaucoup de bijoux. Elle n'est plus très jeune et porte un sac de voyage.

2 Cet homme est un noble qui ne fait confiance à personne. Il se promène toujours avec les clés des portes qui cachent ses trésors.

3 C'est une femme très jolie et avec ses beaux yeux noirs elle capture l'attention de tous les hommes.

4 C'est un vieil homme aux cheveux courts et blancs qui porte une veste vert olive. Il fume la pipe et porte un parapluie.

DELF – Production écrite

2 **Décris-toi physiquement et caractériellement.**

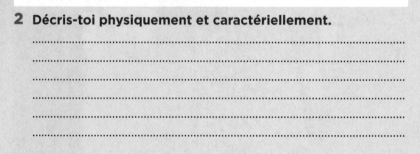

Vocabulaire

3 Lis les adjectifs et trouve leur opposé dans la grille.

beau ....*laid*..............   **4** petit ....

1 homme ....   **5** gentil ....

2 vieux ....   **6** long ....

3 gros ....   **7** calme................................

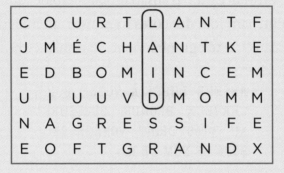

C	O	U	R	T	L	A	N	T	F
J	M	É	C	H	A	N	T	K	E
E	D	B	O	M	I	N	C	E	M
U	I	U	U	V	D	M	O	M	M
N	A	G	R	E	S	S	I	F	E
E	O	F	T	G	R	A	N	D	X

Grammaire

4 Conjugue les verbes du 1ᵉʳ groupe au présent de l'indicatif. Attention aux verbes avec modification orthographique !

Lupin *(voler)* ....*vole*............. tout ce qu'il veut.

1 Nous *(voyager)* .... dans le monde entier.

2 Tu *(s'agiter)* .... toujours pour rien.

3 Je *(mener)* .... une enquête policière.

4 Les dames *(sembler)* .... éprouver de la peur.

5 Vous *(danser)* .... toute la nuit.

6 Les voyageurs *(se presser)* .... sur le quai.

7 Mademoiselle Nelly *(jeter)* .... quelque chose.

Chapitre 1

L'arrestation d'Arsène Lupin

▶ 2 Moi, Monsieur d'Andrézy, je voyage à bord du Provence, un transatlantique rapide qui est maintenant loin des côtes françaises, au milieu de l'océan. Un télégraphe vient de transmettre une dépêche* :

ARSÈNE LUPIN À VOTRE BORD,
CHEVEUX BLONDS, BLESSURE*
AU BRAS DROIT, VOYAGE SEUL
SOUS LE NOM DE R...

Un orage éclate et le télégraphe tombe en panne, impossible de connaître le faux nom de Lupin.

Tous les voyageurs s'agitent, ils savent que Lupin, dont on lit les prouesses* dans le journal depuis des mois, se cache parmi eux. Lupin aime se déguiser*, ce cambrioleur visite les châteaux et les salons et vole tout ce qu'il veut.

– J'espère qu'on va l'arrêter ! s'écrie Miss Nelly. Vous, Monsieur d'Andrézy, vous ne savez rien ?

Miss Nelly est très belle et ses grands yeux noirs me fascinent. Elle semble éprouver de la

---

une dépêche un télégramme
une blessure endroit du corps où l'on s'est fait mal

les prouesses les actions formidables
se déguiser changer d'aspect

sympathie pour moi, mais j'ai un rival* : un beau garçon blond, élégant, qu'elle semble préférer.

– Je ne sais rien de précis, Mademoiselle. Menons une enquête !

– Comment ? Nous avons peu d'éléments !

– Alors regardons la liste des voyageurs.

Je sors la liste de ma poche. Seul le nom de treize personnes commence par « R » et neuf sont accompagnées. Il ne reste que quatre suspects, mais un seul correspond à la description : Monsieur Rozaine, mon rival.

Miss Nelly l'interpelle* :

– Monsieur Rozaine, vous ne répondez pas ?

– Que dire ? Vu mon nom, la couleur de mes cheveux et que je voyage seul... arrêtez-moi !

– Mais vous n'êtes pas blessé...

Monsieur Rozaine montre son bras gauche et mes yeux croisent* ceux de Miss Nelly. Mais un incident détourne* notre attention. Lady Jerland arrive en courant :

– Mes bijoux, mes perles ! Au voleur !

Les passagers n'ont pas de doutes : l'auteur du vol est Arsène Lupin !

---

un rival un concurrent, un adversaire   **croisent** rencontrent
l'interpelle l'appelle   **détourne** attire ailleurs

Le soir même, le commandant arrête Monsieur Rozaine. Son arrestation tranquillise* tout le monde. On joue, on danse et vers minuit, je déclare mon amour à Miss Nelly.

Mais le lendemain matin, le capitaine libère Rozaine par manque de preuves. Les voyageurs sont étonnés* et ont peur : qui, à part Rozaine, voyage seul, est blond et porte un nom qui commence par « R » ?

Une heure plus tard, un papier circule à bord : Rozaine promet une somme de dix mille francs pour démasquer* Lupin ou le voleur de bijoux. On le voit marcher de droite à gauche, chercher, interroger mais sans aucun résultat.

Un soir, un officier du bateau entend du bruit. Il s'approche. Un homme est allongé par terre, la tête dans une écharpe grise et les poignets liés avec une corde. C'est Rozaine. Sur sa veste, une carte de visite :

> *Arsène Lupin accepte avec*
> *reconnaissance les dix mille*
> *francs de Monsieur Rozaine.*

tranquillise calme
étonnés surpris

démasquer révéler

On vient de voler son portefeuille qui contient l'argent. On accuse Rozaine d'avoir mis en scène l'agression, mais son écriture est différente. C'est donc l'écriture de Lupin. Conclusion : Rozaine n'est pas Lupin.

C'est la terreur ! Arsène Lupin peut prendre n'importe quel déguisement et ressembler à une personne que tout le monde connaît.

Miss Nelly, qui est effrayée* et inquiète*, reste à côté de moi et je suis bien content de lui offrir ma protection. Au fond, je bénis* Arsène Lupin !

De loin, on voit la côte américaine. Les voyageurs se pressent sur le pont, on va bientôt connaître la solution de l'énigme. Qui est Arsène Lupin ? On baisse la passerelle* et des hommes en uniforme montent à bord. Miss Nelly dit :

– Peut-être qu'il vient de se jeter à la mer !

Je me mets à rire et elle ajoute :

– Regardez ce vieux petit homme là-bas. C'est Ganimard, le célèbre policier qui veut arrêter Lupin. Je veux assister à l'arrestation !

– Un peu de patience, Lupin va sûrement préférer descendre en dernier.

qui est effrayée qui a peur
inquiète préoccupée

je bénis je remercie
la passerelle le petit pont

Les voyageurs descendent sous le regard attentif d'un officier de Ganimard. Puis c'est le tour de Rozaine :

– C'est peut-être lui quand même, dit Miss Nelly.

– Tenez, prenez une photo !

Je lui donne mon appareil, mais elle n'a pas le temps de l'utiliser. Rozaine passe devant l'officier et descend. Mais alors, qui est Arsène Lupin ?

J'invite Miss Nelly à avancer mais Ganimard nous barre le passage :

– Un instant Monsieur, pourquoi êtes-vous pressé* ? dit Ganimard.

– J'accompagne Mademoiselle.

– Un instant. Arsène Lupin, n'est-ce pas ?

Je me mets à rire :

– Non, Bernard d'Andrézy.

– Bernard d'Andrézy est mort il y a trois ans.

– Voici mes papiers et je vous rappelle qu'Arsène Lupin est en réalité Monsieur « R ».

– Un truc* pour me mettre sur la fausse piste.

D'un coup sec, il frappe mon bras droit. Je pousse un cri de douleur, car ma blessure, signalée par le télégramme, me fait encore très mal.

êtes-vous pressé courez-vous, allez-vous vite   **un truc** une chose

Miss Nelly écoute la scène. Puis elle regarde mon appareil photo : c'est à l'intérieur que se trouvent l'argent de Rozaine et les bijoux de Lady Jerland. Va-t-elle me trahir* ?

Elle passe devant moi et se dirige vers la passerelle, mon appareil photo à la main. Peut-être qu'elle va donner mon appareil à la police. Mais, arrivée au milieu de la passerelle, elle le laisse tomber dans l'eau, puis disparaît dans la foule. Je reste immobile un instant et je soupire tristement sous le regard étonné de Ganimard :

– Je ne suis pas un honnête homme. C'est dommage* !

Arsène Lupin me raconte l'histoire de son arrestation. Mais je ne peux pas vous le décrire, c'est une personne toujours différente. Il dit de lui-même :

– Je ne sais plus qui je suis. Dans une glace*, je ne me reconnais plus.

C'est un homme plein de ressources, un artiste du maquillage, capable de transformer les traits* de son visage. ■

---

me trahir m'être infidèle, m'accuser
c'est dommage c'est regrettable

une glace un miroir
les traits l'expression naturelle

Compréhension

1 Associe correctement.

- [e] Un télégraphe vient de transmettre...
- **1** ☐ Arsène Lupin aime se déguiser, ce cambrioleur...
- **2** ☐ Monsieur d'Andrézy sort la liste des passagers de sa poche, mais...
- **3** ☐ Après le vol des bijoux de Lady Jerland, le commandant...
- **4** ☐ Mais le lendemain matin, le capitaine libère Rozaine,...

- **a** ... arrête Monsieur Rozaine, ce qui tranquillise les passagers.
- **b** ... qui promet une somme de dix mille francs pour démasquer Lupin.
- **c** ... visite les châteaux et les salons et vole tout ce qu'il veut.
- **d** ... un seul correspond à la description de Lupin : Monsieur Rozaine.
- **e** ... qu'Arsène Lupin voyage seul sous le nom de R...

Grammaire

2 Complète les phrases avec le passé récent.

On (*voler*) *vient de voler* Monsieur Rozaine.

1 Le Provence (*arriver*) .... sur la côte.

2 Les passagers (*descendre*) .... sur la passerelle.

3 Monsieur Ganimard, vous (*monter*) .... à bord avec vos hommes.

4 Nous (*arrêter*) .... Lupin le cambrioleur.

DELF - Production orale

3 **Mets en scène l'interrogatoire du commandant à Monsieur Rozaine.**

Vocabulaire

4 **Résous les anagrammes et complète les phrases.**

Le télégramme dit que Lupin a les *vxheecu* ....*cheveux*......... blonds.

1 Miss Nelly a de grands *xeyu* .... noirs.

2 Monsieur Rozaine montre son *arsb* .... gauche à Andrézy.

3 On retrouve Rozaine avec la *ettê* .... dans une écharpe et les *soepnigt* .... liés.

Activité de pré-lecture

Vocabulaire

5 **Dans le prochain épisode Lupin va voler un objet à Ganimard. Lequel ? Complète les mots croisés et lis les cases colorées.**

1 Le sentiment de Miss Nelly pour Monsieur d'Andrézy.

2 La cause de la panne du télégraphe.

3 Le contenu du portefeuille de Rozaine.

4 Celle de Ganimard est vert olive.

5 Lady Jerland n'a plus ses bijoux ni ses...

6 Lupin en a une sur le bras droit.

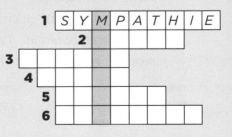

Chapitre 2

Arsène Lupin en prison

▶ 3 Sur les bords de la Seine se trouve l'étrange château du Malaquis. Il se dresse sur sa roche, au milieu du fleuve, et un pont le relie* à la route. Son histoire est aussi dure que son aspect : combats, sièges*, rapines*, massacres. On raconte de mystérieuses légendes à son sujet, en particulier de sa galerie.

Le baron Nathan Cahorn vit dans ce château. Cet homme riche et avare a de belles collections de meubles, de tableaux... Il vit seul avec ses trois vieux domestiques. Personne n'entre dans le château parce que le baron a peur des voleurs. Chaque jour, il ferme à clef ses quatre portes et insère* les alarmes.

Un jour, le facteur lui apporte une lettre. Le baron ne reçoit jamais de lettres. Il l'ouvre avec inquiétude :

Prison de la Santé, Paris

Monsieur le baron,

Il y a, dans votre galerie, des tableaux qui me plaisent beaucoup. J'apprécie aussi vos meubles et vos bijoux. Je vous prie donc

relie rattache, unit
les sièges les opérations militaires pour prendre la place de quelqu'un

les rapines les vols
insère allume

d'emballer*ces objets et de me les envoyer avant
huit jours. Sinon, je vais être obligé de venir les
prendre moi-même dans la nuit de mercredi 27.
Excusez-moi si je vous ai dérangé.

Arsène Lupin

Le baron de Cahorn s'agite, il connaît les vols de
Lupin ! Il vient de lire dans le journal que, grâce
à Ganimard, Lupin est en prison, mais il sait
aussi qu'il est capable de tout ! Inutile de s'agiter,
personne ne peut entrer dans son château et voler
ses collections. Personne… mais Arsène Lupin ?

Le soir même il écrit au procureur* de Rouen
qui le rassure : Lupin est enfermé à la prison de
la Santé, il n'y a pas de danger ! Mais le baron est
désespéré.

Deux jours après, il lit un article dans le journal :

L'inspecteur Ganimard est en
vacances dans notre ville.

Quelle bonne nouvelle ! Le baron part à sa
recherche et le trouve sur le bord du fleuve, la
canne à pêche à la main. Il lui expose* son cas et
Ganimard lui répond :

– Lupin n'a pas l'habitude d'avertir ses victimes

---

emballer mettre dans un paquet   **expose** explique
le procureur le magistrat

et en plus il est en prison. Dormez sur vos deux oreilles* !

Le baron rentre chez lui plus calme. Il vérifie l'alarme de ses portes et surveille ses domestiques.

Le matin du 26 il reçoit un télégramme :

JE N'AI RIEN REÇU. PRÉPAREZ TOUT
POUR DEMAIN SOIR. ARSÈNE

Le baron s'agite et retourne voir Ganimard :

– Le cambriolage*, c'est pour demain ! dit-il à l'inspecteur. Venez passer la nuit au château !

– Laissez-moi tranquille !

– Allez ! Je vous donne trois mille francs.

– C'est original, mais j'accepte. Après tout, on ne sait jamais avec Lupin ! J'appelle deux amis. Rendez-vous demain vers neuf heures.

Le lendemain, à huit heures et demie, le baron renvoie* les domestiques et Ganimard entre avec ses hommes. Puis il ferme les portes à clef. L'inspecteur contrôle les murs et place ses hommes dans la galerie centrale. Il s'installe dans une petite chambre d'où il peut contrôler le pont, la cour* et le puits*. Il demande au baron :

---

sur vos deux oreilles tranquille
le cambriolage le vol
renvoie invite à rentrer chez eux

la cour l'espace devant une habitation
le puits le trou profond dont on tire de l'eau

– Vous dites, Monsieur, que ce puits est l'entrée d'un souterrain. Cette entrée est bloquée ?

– Oui.

Ganimard s'installe à son poste.

À une heure, le baron réveille l'inspecteur :

– Écoutez ! Le klaxon d'une voiture !

Mais Ganimard le tranquillise et se rendort.

À l'aube, ils montent dans la galerie et ouvrent la porte. Les deux hommes dorment sur leur chaise. Le baron crie :

– Mes tableaux ! Mes bijoux !

Il court de droite à gauche, fou de rage et de douleur. Ganimard est surpris : il examine les fenêtres, les serrures des portes, les murs… L'ordre est parfait. Il essaie de réveiller ses hommes.

Le baron est furieux :

– Cherchez des indices* ! Faites quelque chose !

– Monsieur, lui répond Ganimard, Lupin ne laisse jamais d'indices !

– Il vient de voler les perles de ma collection. Je vais proposer une belle somme pour les récupérer.

les indices les traces

Ce matin-là, le baron va dénoncer* Arsène Lupin. Les gendarmes fouillent* le château mais ne trouvent aucun indice ! L'inspecteur Ganimard demande donc l'autorisation de passer une heure avec Lupin en prison :

– Quelle surprise ! dit Lupin. Voilà notre meilleur détective ! Quel est le but de votre visite ?

– L'affaire Cahorn, répond Ganimard.

– Je connais l'affaire de A à Z. Voilà les reçus* des télégrammes !

– Comment est-ce possible ?

– Ici les gardes sont bêtes. Ils fouillent mes vêtements mais ne regardent pas dans le tiroir de ma table !

Un gardien entre soudain : il apporte le repas que Lupin fait arriver du restaurant voisin.

– Ne t'inquiète pas Ganimard. À cette heure-ci, le baron a déjà ses tableaux et retire sa plainte.

– Comment sais-tu cela ?

Lupin casse son œuf à la coque et tire une feuille bleue de la coquille vide.

C'est un télégramme :

---

dénoncer signaler à la justice
fouillent cherchent avec attention

les reçus les papiers qui confirment l'envoi des télégrammes

ACCORD CONCLU. CENT MILLE FRANCS
LIVRÉS. TOUT VA BIEN.

Gallimard est à la fois de mauvaise humeur et plein d'admiration :

– Tu es incroyable Lupin !

– Bah ! Je m'ennuie ici, je dois me distraire*.

– Ton procès n'est pas suffisant ?

– Non, je ne vais pas assister à mon procès.

– Oh ! Oh ! Monsieur ne veut pas rester en prison ! C'est ce qu'on va voir !

Les deux hommes se serrent la main comme de bons amis et Ganimard se dirige vers la porte.

– Ganimard ! crie Lupin.

– Qu'est-ce qu'il y a ?

– Tu oublies ta montre.

– Ma montre ?

– Oui, elle est dans ma poche. Tiens ! Pardonne-moi… une mauvaise habitude.

Lupin sort alors de son tiroir une autre montre en or avec une grosse chaîne et des initiales.

– J.B… Qui est-ce ? Ah ! Je me souviens, Jules Bouvier, mon juge, un homme charmant.

■

me distraire me changer les idées

Compréhension

1 Vrai ou faux ?

	V	F
Le château de Malaquis se trouve sur les bords du Rhin.	☐	☑
1 Le baron Nathan Cahorn est un homme riche, avare et méfiant.	☐	☐
2 Le facteur apporte une lettre de Ganimard au baron Cahorn.	☐	☐
3 D'après Ganimard, Lupin n'est plus en prison et il est dangereux.	☐	☐
4 Le baron donne trois mille francs à Ganimard pour surveiller le château.	☐	☐
5 Ganimard et ses hommes passent la nuit au château de Malaquis.	☐	☐
6 Lupin n'arrive pas à voler les bijoux et les tableaux du baron.	☐	☐
7 Ganimard rend visite à Lupin, qui lui vole sa montre.	☐	☐

Grammaire

2 Conjugue les verbes en -ir au présent de l'indicatif.

Lupin (*se souvenir*) _se souvient_ qu'il a la montre de son juge.

1 Les domestiques (*avertir*) .... le baron qu'il y a une lettre pour lui.

2 Le baron dit à Ganimard : « Si vous (*venir*) ...., je vous donne 3 000 francs ! »

3 Nous (*dormir*) .... sur nos chaises.

4 Je (*sortir*) .... une feuille bleue de mon œuf à la coque.

5 Tu (*ouvrir*) .... les portes et les fenêtres.

Vocabulaire

3 Complète les phrases avec les mots manquants.

> fenêtres   prison   puits   murs   tiroir   ~~château~~
> cour   portes   meubles   table   clef   chaise

Dans la galerie du (0) *château.* de Malaquis, le baron garde
ses trésors. Méfiant, il ferme toujours ses (1) .... à
(2) ...., mais Lupin est très fort et le baron demande à
Ganimard de l'aider.
L'inspecteur examine les (3) .... et contrôle si les
(4) .... sont bien fermées. Dans la nuit, il surveille le
(5) .... qui est au milieu de la (6) ...., mais Lupin
réussit à voler les bijoux et les (7) .... du baron, parce
que les hommes de Ganimard s'endorment sur leur
(8) .... L'inspecteur va en (9) .... pour voir
Lupin qui sort du (10) .... de sa (11) .... les reçus
des télégrammes envoyés au baron. Quel impertinent !

Activité de pré-lecture

Vocabulaire

4 Trouve 14 adjectifs dans la grille et lis ce qui va arriver dans le prochain épisode.

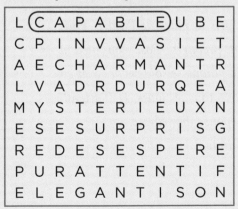

L C A P A B L E U B E
C P I N V V A S I E T
A E C H A R M A N T R
L V A D R D U R Q E A
M Y S T E R I E U X N
E S E S U R P R I S G
R E D E S E S P E R E
P U R A T T E N T I F
E L E G A N T I S O N

_ _ _ _ _   _ _
_ , _ _ _ _ _ _
DE _ _ _ _ _ _ .

Chapitre 3

L'évasion d'Arsène Lupin

▶ 4 Arsène Lupin vient de terminer son repas et sort de sa poche un beau cigare. La porte de sa cellule* s'ouvre, il cache son cigare dans le tiroir. Le garde dit :

– C'est l'heure de la promenade.

Lupin sort et des policiers entrent dans sa cellule pour un contrôle : Lupin a des contacts avec l'extérieur, il envoie et reçoit des lettres et il prépare son évasion. Mais comment ?

On examine le sol, on fouille le lit, mais on ne découvre rien. Dans son tiroir il n'y a qu'un cigare, des articles de journaux, une pipe, du papier et deux livres.

Monsieur Dudouis, le chef de la police, examine le cigare et trouve du fin papier blanc à l'intérieur. Il lit le billet :

> *Le panier a pris la place de l'autre. Huit sur dix sont préparés. Pose ton pied à l'extérieur, la plaque se soulève de haut en bas. De 12 à 16 tous les jours, H-P attend. Mais où ? Réponse immédiate.*
> *Votre vieille amie.*

la cellule la pièce du prisonnier dans une prison

Que signifie H-P ? Monsieur Dudouis pense que ce message vient d'arriver dans le repas de Lupin, au milieu du pain ou d'une pomme de terre.

Le soir, il retourne à la prison et analyse les restes du dîner de Lupin. Rien ! Enfin il dévisse* le manche du couteau. Il trouve un billet :

Je vous fais confiance, H-P va suivre de loin, chaque jour. Je vais le rejoindre.
À bientôt, chère amie.

Monsieur Dudouis a une idée : il va aider Lupin à s'évader* pour prendre ses complices !

Chaque jour on emmène Lupin dans le bureau du juge Jules Bouvier avec la voiture pénitentiaire* avec d'autres prisonniers. Le juge interroge Lupin, mais sans succès.

Un jour, Lupin se trouve tout seul dans la voiture. Pendant le trajet, il sent le sol bouger sous ses pieds. Il enlève une plaque de fer et constate qu'il se trouve entre les deux roues. Lupin saute alors à terre et s'éloigne*.

---

il dévisse il enlève
s'évader s'échapper

la voiture pénitentiaire la voiture qui transporte des prisonniers
s'éloigne va plus loin

C'est une belle journée d'automne, il s'assoit à la terrasse d'un café et commande une boisson*.

Il dit au serveur :

— Excusez-moi, je n'ai pas mon portefeuille. Faites-moi crédit, s'il vous plaît. Je suis Arsène Lupin et je vis en prison.

Le serveur ne dit pas un mot et Lupin se dirige vers la prison en regardant les vitrines.

Il se présente devant la prison :

— C'est bien ici la prison ?

— Oui, répond le garde.

— Je veux retourner dans ma cellule.

Le garde le regarde de la tête aux pieds et ouvre la porte. Quelques minutes après le directeur arrive. Arsène sourit :

— Vous pensez peut-être que je vais me sauver pour vous permettre de trouver mes amis ? Et bien, pas question !

On change Lupin de cellule. Il passe deux mois allongé sur son lit, le visage tourné vers le mur.

Il a l'air abattu* et triste. Il refuse de recevoir son avocat et ne veut voir personne. Tout le

une boisson quelque chose à boire   **abattu** sans forces

monde attend son évasion et tous les journaux parlent de lui.

La date du procès arrive et attire beaucoup de curieux. Il pleut et le jour est sombre. Les gardes font entrer Lupin, mais on ne voit pas son visage à cause de l'obscurité.

– Accusé, levez-vous. Vos nom, prénom, âge et profession ? demande le greffier*.

– Baudru Désiré.

– Monsieur Lupin ! C'est le huitième nom que vous dites avoir ! Ne vous moquez pas* de nous !

L'accusé a l'air triste. On ne le reconnaît plus après ces mois de prison. Il ne ressemble plus aux photos sympathiques publiées dans les journaux. Il lève les yeux et dit :

– Je m'appelle Baudru Désiré.

Le juge se met à rire. Il interroge l'accusé, mais Lupin ne répond pas. Les témoins font leur déposition* et semblent se contredire*. Puis Ganimard demande l'autorisation d'examiner l'accusé :

– Ce n'est pas Arsène Lupin ! dit-il.

---

le greffier la personne qui assiste les magistrats pendant le procès
ne vous moquez pas ne riez pas

la déposition la déclaration
se contredire dire des choses contraires

– Mais non, c'est lui ! intervient un gardien. Même si cela fait deux mois qu'il dort tourné vers le mur.

– Mais alors, qui est cet homme ? dit le juge.

C'est une autre personne ! Comment est-ce possible ? Cette évasion est incompréhensible ! Ils repensent aux déclarations de Lupin : « Je ne vais pas assister à mon procès ».

Baudru sort de prison. Ganimard décide de suivre Baudru pour trouver Lupin : c'est peut-être un complice. Après une heure, Baudru s'assoit sur un banc* et l'inspecteur s'assoit à côté de lui.

– Il ne fait pas chaud, dit-il.

Baudru se met à rire. Ganimard connaît bien ce rire !

– Arsène Lupin, murmure-t-il.

Furieux, il lui serre la gorge. La lutte* est courte. Lupin se défend avec un simple un coup de jiu-jitsu* et se libère.

---

un banc un long siège où plusieurs personnes peuvent s'assoir

la lutte le combat
jiu-jitsu art martial

Ganimard réfléchit en silence. Il se sent responsable de cette évasion :

– Comment est-ce possible ?

– Le visage se modifie si on utilise des produits chimiques : votre barbe et vos cheveux poussent★, votre visage change. Quelques gouttes dans les yeux et ils changent de couleur. Le changement se fait lentement et personne ne s'en rend compte★.

– Et maintenant, que vas-tu faire ?

– Me reposer et redevenir moi-même. Quand on ne se reconnaît plus, c'est très triste. Nous n'avons plus rien à nous dire, je crois.

– Allez-vous révéler mon erreur ?

– Non, c'est notre secret. Je vous laisse. Ce soir, je dîne à l'Ambassade d'Angleterre. ⬛

poussent deviennent longs
ne s'en rend compte ne s'en aperçoit

Compréhension

▶ 4 1 Réécoute le chapitre 3 et coche les bonnes solutions.

Arsène termine son repas et sort un beau cigare :
A ☐ de son portefeuille
B ☐ de son tiroir
C ☑ de sa poche

1 Les policiers entrent dans la cellule de Lupin pour :
A ☐ un contrôle
B ☐ interroger le prisonnier
C ☐ apporter le repas

2 Dans le tiroir de Lupin on trouve :
A ☐ un portefeuille
B ☐ des articles de journaux
C ☐ un télégramme

3 Le dîner de Lupin consiste en :
A ☐ du pain et des pommes de terre
B ☐ un œuf à la coque
C ☐ du pain et des pommes frites

4 Monsieur Dudouis aide Lupin à s'évader parce que :
A ☐ il veut devenir son complice
B ☐ c'est l'un de ses complices
C ☐ il veut prendre ses complices

5 À la terrasse du café, Lupin dit au serveur :
A ☐ « Tenez, gardez la monnaie. »
B ☐ « Faites-moi crédit s'il vous plaît. »
C ☐ « Désolé, mon portefeuille est vide ! »

6 Lupin retourne en prison et reste allongé dans son lit pendant :
A ☐ un mois
B ☐ huit mois
C ☐ deux mois

Grammaire

2 **Complète les phrases avec le futur proche.**

Les policiers (*entrer*) ..*vont entrer*.. dans la cellule de Lupin.

1 On (*fouiller*) .... le lit de Lupin mais on (*ne rien découvrir*) ....

2 Nous (*analyser*) .... les restes du repas de Lupin.

3 Les prisonniers (*aller*) .... chez le juge avec la voiture pénitentiaire.

4 Je (*aider*) .... Lupin à s'évader et tu (*prendre*) .... ses complices.

DELF - Production orale

3 **Tu es à la terrasse d'un café et tu dialogues avec le serveur. Réponds oralement et complète ce dialogue.**

Le serveur : Bonjour, qu'est-ce que vous désirez ?
Toi : ....
Le serveur : Je suis désolé, je n'ai pas de croissants.
Toi : ....
Le serveur : C'est parfait ! Je vous l'apporte dans deux minutes.
Toi : ....
Le serveur : Oui, nous avons aussi du jus d'orange.
Toi : ....
Le serveur : De rien ! Je reviens tout de suite !

Activité de pré-lecture

4 **Trouve 5 mots qui permettent de connaître les généralités d'une personne. Les lettres restantes te révèlent le prochain moyen de transport de Lupin.**

NOMTPRÉNOMRÂGEAPROFESSIONIÉTATCIVILN

Chapitre 4

Le mystérieux voyageur

▶ 5 Je viens de renvoyer ma voiture à Rouen et je prends le train pour rejoindre* des amis qui habitent sur les bords de la Seine. J'entre dans un compartiment. Une dame est assise, elle se présente. Il s'agit de Madame Renaud : son mari est sous-directeur des services pénitentiaires.

Le train se met en marche*. Tout à coup, la porte s'ouvre et un homme entre dans notre compartiment. J'ai l'impression de le connaître. La dame est inquiète, ses mains tremblent de peur. Elle tient bien son sac de voyage sur ses genoux. Elle m'indique l'homme et me dit à voix basse :

– Vous savez qui est dans notre train ? Arsène Lupin ! La police le cherche !

J'essaie de la calmer, on raconte que Lupin se cache en Turquie. Je suis très fatigué mais impossible de dormir à cause de la dame :

– Monsieur, ne dormez pas ! Ce n'est pas prudent !

Mais je suis si fatigué que je m'endors.

Une vive douleur me réveille. L'homme a un genou sur ma poitrine* et me serre le cou puis

rejoindre retrouver
se met en marche part

sur ma poitrine devant le thorax

il me lie les poignets*. Me voilà lié comme une momie, moi, Arsène Lupin ! Ce bandit vole mon portefeuille et mes papiers. Mais il prend aussi le sac et les bijoux de la dame, qui s'évanouit*. Il s'assoit de nouveau, satisfait de ses trésors. Moi je suis beaucoup moins satisfait : douze mille francs, mes papiers et mes lettres sont entre ses mains !

À Saint-Etienne l'homme se lève et se dirige vers nous. La dame s'évanouit de nouveau. Il baisse la vitre, il pleut. Il met alors mon imperméable. Quand le train entre dans un tunnel, notre homme ouvre la portière et disparaît dans la fumée blanche. La dame ouvre les yeux. Elle veut me libérer, mais je refuse, il vaut mieux attendre la police. Je lui dis :

– À notre arrivée, racontez tout : l'agression, la fuite de Lupin. Décrivez-le : son parapluie, son imperméable gris.

– C'est votre imperméable !

– Non, je n'ai pas d'imperméable. Peut-être qu'il appartient à un autre voyageur. Dites aussi que je m'appelle Guillaume Berlat et que je suis un ami de votre mari.

les poignets les articulation des mains
s'évanouit perd connaissance

Le commissaire arrive et interroge la dame. Elle décrit l'homme et sa description correspond à celle de Lupin communiquée dans un télégramme. Quelle chance !

– C'est Arsène Lupin ! Rattrapons-le ! dis-je.

Je propose même au commissaire de prendre ma voiture. Je dois absolument récupérer mon argent et mes papiers !

Le bandit est sûrement dans un autre train. Nous arrivons à la gare suivante et le chef de gare nous indique un homme qui correspond à la description :

– Regardez ! Il traverse le passage à niveau* !

Nous voyons l'homme entrer dans un petit bois. Pour ne pas le perdre, je propose au commissaire de m'attendre à la sortie du bois et je pars à la recherche de l'homme. J'entends soudain un bruit. Je le vois. Je saute sur lui, je le bloque par terre et je dis à son oreille :

– Écoute-moi, je suis Arsène Lupin. Rends-moi mon portefeuille et les bijoux de la dame, sinon j'appelle la police. Oui ou non ?

– Oui, répond le bandit.

---

le passage à niveau l'endroit où on baisse les barrières pour faire passer le train

Mais voilà que le bandit sort un couteau de sa poche et essaie de me frapper. Je lui donne un coup violent et je l'assomme*. Je cherche mon portefeuille et mes papiers et dans l'une de ses poches je trouve une lettre : sur l'enveloppe* je lis son nom, Pierre Onfrey. Mais oui, c'est l'assassin que la police recherche. Je décide de mettre deux cents francs et un billet dans une enveloppe :

Arsène Lupin à Monsieur le commissaire.

Je récupère le sac de la dame, mais je conserve les objets précieux. Je tire un coup de revolver en l'air pour attirer le commissaire et je m'enfuis*. Je retrouve ma voiture et me précipite dans la ville voisine pour envoyer un télégramme à mes amis : je dois renoncer à leur rendre visite. Arrivé à Paris, les journaux du soir m'apprennent que la police vient de capturer Pierre Onfrey.

Le lendemain matin, un journal publie cet article sensationnel : *Arsène Lupin vient d'arrêter Pierre Onfrey. L'assassin est l'auteur du vol des bijoux de Madame Renaud. Arsène Lupin a récompensé généreusement le commissaire qui l'a aidé à arrêter l'assassin.* ⬛

je l'assomme je lui donne un coup sur la tête
l'enveloppe la pochette pour envoyer une lettre
je m'enfuis je m'échappe

Compréhension

1 Relis le texte et réponds aux questions.

Qui est Madame Renaud ?
Madame Renaud est la femme du sous-directeur
des services pénitentiaires .

1 Pourquoi Madame Renaud a-t-elle peur ?
....

2 Qu'est-ce qui vient d'arriver au narrateur ?
....

3 Que fait l'homme qui vient d'entrer dans le
compartiment ?
....

4 Le narrateur et Arsène Lupin sont la même personne.
Est-ce que Madame Renaud le sait ? Pourquoi ?
....

5 Quel est le vrai héros de cet épisode ? Pourquoi ?
....

Grammaire

**2 Conjugue les verbes du 3ème groupe au présent de
l'indicatif.**

Les voyageurs (*prendre*) .....*prennent*..... le train.

1 Vous (*connaître*) .... l'homme qui monte dans
le train.

2 La dame (*tenir*) .... son sac sur ses genoux.

3 Nous (*faire*) .... arrêter le voleur.

4 Je (*voir*) .... un homme entrer dans le bois.

5 Ils (*devoir*) .... renoncer à aller à Paris.

6 Tu (*mettre*) .... ton imperméable parce qu'il
(*pleuvoir*) ....

Vocabulaire

3 **Lupin prend les objets précieux qu'il trouve dans le sac de Madame Renaud. Pour savoir ce qu'il laisse, complète les mots croisés et lis les cases colorées.**

Un _ _ _ _ _ _ en écaille et un porte-monnaie vide.

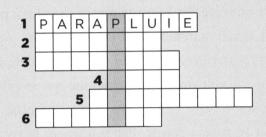

1 Il est utile quand il pleut.
2 La carte d'identité et le passeport sont des ... .
3 On l'ouvre pour descendre du train.
4 On y prend le train.
5 Lupin lit le nom du bandit sur une ...
6 Le bandit sort un ... de sa poche pour se défendre.

Activité de pré-lecture

Vocabulaire

4 **Observe l'illustration qui se trouve à la page 53 et réponds aux questions.**

1 Qu'est-ce qu'il y a dans la pièce ?

....

2 Combien de personnages y a-t-il ?

....

3 Imagine ce qui va se passer.

....

Chapitre 5

Le coffre-fort
de Madame Imbert

▶ 6 Après une fête, un homme rentre chez lui à pied,
car il aime marcher dans la nuit froide. Après
quelques minutes, il entend un bruit. Quelqu'un
le suit ! Il voit une autre personne qui se glisse*
entre les arbres. Il accélère, mais l'homme qui
le suit se met à courir. Par prudence, le pauvre
monsieur sort son revolver, mais c'est inutile :
l'homme l'agresse et lui met un mouchoir dans
la bouche pour l'empêcher de crier. Tout à coup,
l'homme le lâche*, car il reçoit un coup de canne*
et un coup de pied. C'est la personne cachée entre
les arbres qui fait fuir l'agresseur. Le nouvel arrivé
demande :

– Êtes-vous blessé, Monsieur ?

Non, il n'est pas blessé, mais il a très peur.
Son sauveur l'accompagne chez lui et pour le
remercier :

– Vous êtes mon sauveur, je vous invite à
déjeuner. Je me présente : Monsieur Imbert. Vous
êtes… ?

– Arsène Lupin.

se glisse passe   la canne le bâton
lâche libère

Monsieur Imbert est bien tranquille, parce qu'il ne connaît pas Arsène Lupin.

Le lendemain, Lupin se rend au déjeuner en tramway. Un homme s'assoit à côté de lui :

– Alors patron* ?

– C'est fait. Grâce à ton agression bien organisée, je déjeune chez les Imbert. Leur fortune est à moi !

Le tramway s'arrête et Lupin descend.

Lupin arrive chez les Imbert et frappe à la porte. Ludovic Imbert lui présente sa femme Gervaise, une petite dame ronde et bavarde*. Pendant le repas, ils font connaissance. Lupin parle de son enfance malheureuse et Gervaise parle d'un certain Brawford dont elle vient d'hériter* cent millions de francs :

– Nos titres* sont dans notre coffre-fort, mais nous ne pouvons pas encore les dépenser.

Madame Imbert a en effet beaucoup de dettes et des problèmes financiers avec les neveux Brawford.

Pour remercier Lupin, les Imbert le nomment secrétaire particulier et mettent à sa disposition

le patron le chef
bavarde qui parle beaucoup

hériter recevoir de la part d'une personne qui est morte
les titres les documents qui valent de l'argent

un bureau qui est juste au-dessus de la pièce où se trouve le coffre.

Lupin essaie souvent d'ouvrir le coffre-fort mais c'est impossible. Pour connaître la combinaison et découvrir où les Imbert cachent la clé du coffre, il fait un trou* dans le parquet de son bureau. Par le trou, il fait passer un tuyau* pour pouvoir écouter et regarder ce qui se passe dans la pièce d'en dessous. Où cachent-ils la clé ?

Il s'aperçoit que Gervaise a toujours la clé sur elle. Lupin doit profiter d'un moment de distraction pour voler cette clé.

Un jour, le coffre reste ouvert et Lupin se précipite, mais les Imbert reviennent :

– Excusez-moi, je me suis trompé de porte, dit Lupin.

– Entrez Monsieur Lupin, vous êtes chez vous ici, dit Gervaise.

En fait, Lupin ne se sent pas chez lui du tout. Les domestiques ignorent son nom et les Imbert lui parlent à peine. On le considère un original et un sauvage et on respecte sa solitude. Lupin

un trou une ouverture
un tuyau un objet cylindrique qui fait passer des liquides

ne fait pas très attention à ces bizarreries*, il n'a que son plan en tête. Mais la situation précipite : les journaux accusent les Imbert d'escroquerie* ! Lupin risque de tout perdre et décide donc de voler immédiatement les titres.

Au lieu de renter chez lui, Lupin s'enferme dans son bureau cinq jours de suite, mais les Imbert ne le savent pas. Il surveille le coffre à travers le parquet et rentre chez lui au milieu de la nuit par une petite porte dont il possède la clé.

Le sixième jour, Lupin entend une conversation des Imbert. Ils veulent faire l'inventaire* du coffre. Après le dîner, ils se mettent au travail et vers minuit Lupin murmure :

– Allons-y !

Il ouvre la fenêtre qui donne sur la cour, lance une corde tirée de son armoire et glisse le long du mur. Il arrive ainsi à la fenêtre qui se trouve en dessous. Sur le balcon, il écoute et observe les Imbert qui sont assis à côté du coffre.

Gervaise dit à son mari :

– J'ai froid, je vais me coucher. Et toi ?

ces bizarreries ces comportements étranges

une escroquerie un vol
l'inventaire la liste du contenu

– Encore une heure, je veux finir.

Elle s'en va et Lupin attend trente minutes avant de se jeter sur Ludovic. Il enveloppe* sa tête avec le rideau et le ficelle*. Puis il se dirige vers le coffre et vole les titres. Il sort de la pièce, descend l'escalier, traverse la cour et sort par la petite porte. Une voiture l'attend dans la rue.

– Prends cela, dit-il à son complice et il lui donne le butin*.

Il retourne dans son bureau pour effacer toutes les traces de son passage. Il rejoint son complice et ils se mettent à compter la fortune des Imbert. Beaucoup de titres sont inutilisables et ils décident de les brûler*. Quant aux autres, ils les mettent dans un placard… impossible de les utiliser pour le moment.

Le lendemain, Lupin lit le journal : les Imbert viennent de s'enfuir !

Il découvre que les titres sont faux et que les Imbert l'ont roulé*. Mais comment ? Et pourquoi cette fuite ?

---

il enveloppe il entoure
ficelle lie
le butin le fruit du vol

brûler détruire avec le feu
l'ont roulé l'ont trompé

Lupin est furieux. Il comprend que les Imbert l'ont fait passer pour un Brawford et grâce à la confiance que ce nom inspire, ils ont réussi à obtenir des prêts auprès des banquiers pour payer leurs dettes. Ainsi, Gervaise est partie avec toutes ses économies. Voilà le voleur volé ! C'est la seule fois où Lupin s'est fait rouler dans sa vie ! ⬛

Vocabulaire

1 **Complète les phrases avec les locutions de temps proposées dans l'encadré.**

> puis   quand   après   pendant que
> une fois   avant   pendant   dès que

...*Une fois*... à table, les Imbert et Lupin se mettent à bavarder.

1 .... Monsieur Imbert sort son revolver, un homme lui met un mouchoir dans la bouche.

2 Lupin s'informe sur les conditions de Monsieur Imbert .... il l'accompagne chez lui.

3 Lupin descend .... le tramway s'arrête .... se rend chez les Imbert.

4 .... de voler les titres des Imbert, Lupin les observe .... des jours.

5 Gervaise sort de la pièce et trente minutes .... Lupin se jette sur son mari.

Grammaire

2 **Complète les phrases avec le présent progressif.**

Un homme (*marcher*) *est en train de marcher* dans la nuit froide.

1 Vous (*se rendre*) .... au déjeuner en tramway.

2 Elle (*parler*) .... de son enfance malheureuse.

3 Les journaux (*accuser*) .... les Imbert d'escroquerie.

4 Nous (*faire*) .... l'inventaire du coffre-fort.

5 Je (*effacer*) .... toutes les traces de mon passage.

6 Mon cher Lupin, pour la première fois tu (*se faire rouler*) ....

Compréhension

3 **Lis des expressions temporelles et remets le résumé de cette aventure de Lupin dans le bon ordre.**

A ☐ Pendant le déjeuner, ils bavardent et Lupin apprend que les Imbert gardent leurs titres dans leur coffre-fort.

B ☐ Puis il rejoint son complice mais... ils découvrent que les titres sont faux. Voilà notre voleur volé !

C ☐ Une fois sur le tramway pour aller au rendez-vous, Lupin rencontre son complice.

D ☐ Après quelques jours, il fait un trou dans le parquet de son bureau, qui est au-dessus du coffre-fort.

E ☐ Le lendemain, Lupin commence à travailler chez les Imbert comme secrétaire particulier.

F ☐ Pour le remercier, Monsieur Imbert l'invite à déjeuner le lendemain.

G ☐ Un jour, il passe par la fenêtre et réussit à voler les titres des Imbert.

H ☐ Quand Monsieur Imbert ouvre sa porte, il présente sa femme Gervaise à Lupin.

I 7 Après une fête, un complice de Lupin agresse Monsieur Imbert, mais Arsène Lupin arrive et le défend.

DELF – Production écrite

4 **Maintenant tu connais le personnage de Lupin et tu sais de quoi il est capable. Imagine sa prochaine aventure et parle de sa victime.**

Maurice Leblanc

Sa vie

Maurice Leblanc naît à Rouen le 11 novembre 1864. Après le lycée, il décide de devenir écrivain mais son père n'est pas d'accord. Maurice écrit en cachette*. Il veut aller à Paris pour réaliser son rêve et pour convaincre son père à le laisser partir, il s'inscrit à la faculté de Droit.

À Paris, il collabore avec des journaux et fréquente de grands écrivains. En 1905, le succès arrive avec la naissance de son célèbre personnage : Arsène Lupin. Ses aventures sortent dans le magazine *Je Sais Tout* sous forme de feuilleton* et deviennent très populaires.

en cachette sans se montrer
feuilleton roman en plusieurs épisodes

Le Clos Lupin

Depuis 1999 il est possible de visiter la maison de Maurice Leblanc à Étretat, en Normandie. Chaque année, dans ce musée, on remet le « Prix Arsène Lupin » qui récompense le meilleur roman policier de l'année.

Son personnage

Arsène Lupin est un personnage mystérieux, impossible à reconnaître : il aime se déguiser et se maquiller mais aussi changer de nom. Arsène Lupin est aussi un grand prestidigitateur* !

Il ressemble un peu à Robin des Bois parce qu'il vole les riches. Quand il vole quelqu'un, c'est toujours avec élégance et il n'assassine jamais personne.

Il ressemble aussi un peu à Don Juan parce qu'il aime séduire les femmes, mais il les respecte toujours.

Lupin à l'écran

Arsène Lupin devient une série télévisée en 1971 et il existe aussi beaucoup de films qui racontent ses aventures. Mais *Arsène Lupin*, c'est aussi une série de dessins animés, des pièces de théâtre et même une opérette*.

un prestidigitateur un magicien
une opérette une œuvre théâtrale avec des parties chantées

Activité

1 Maurice Leblanc a écrit une aventure de Lupin qui ridiculise un grand inspecteur de la littérature policière. Cela a provoqué la colère de l'auteur qui a créé ce détective privé. De quel personnage s'agit-il ?

A Sherlock Holmes **B** Hercule Poirot **C** Maigret

2 Pour savoir ce que Maurice Leblanc dit de son personnage remets la phrase dans le bon ordre :

« partout me suit Il. ombre n'est Il mon pas, son suis je ombre. lui j'écris s'assied quand cette table à qui C'est. obéis lui Je. »

Le roman policier en France

En France, le roman policier est très populaire. Le père du roman policier est l'américain Edgar Allan Poe, qui publie son premier roman en 1871. En France, tout commence avec Gaston Leroux et Maurice Leblanc.

Gaston Leroux et Rouletabille

Les romans policiers de Gaston Leroux sont aussi un peu fantastiques*. Son personnage Rouletabille est reporter* mais c'est aussi un détective amateur*.

En réalité il s'appelle Joseph Joséphin, mais ses collègues le surnomment Rouletabille parce qu'il a une tête ronde et il est rouge comme une tomate.

Léo Malet et Nestor Burma

Léo Malet a créé le personnage de Nestor Burma en 1942, c'est un détective privé qui vit à Paris. On ne sait pas beaucoup de choses sur son passé. Son rival est le commissaire Florimond Faroux, qui n'est pas très content de le trouver toujours sur son chemin.

Frédéric Dard et San-Antonio

Antoine San-Antonio n'est pas seulement le commissaire d'une série de romans, mais c'est aussi le pseudonyme que Frédéric Dard utilise pour signer ses romans. Ce personnage est particulier car il parle en argot* et a beaucoup d'humour : il joue avec la langue.

Boileau-Narcejac

Derrière ce nom double se cachent en réalité deux auteurs : Pierre Boileau et Pierre Ayrand. Arsène Lupin et Rouletabille les fascinent. En 1950, ils s'associent pour écrire des romans policiers. Dans leurs romans, il n'y a ni gangsters ni policiers mais des gens communs qui tuent* un jour pour un motif banal.

fantastiques surnaturels
reporter journaliste
amateur non professionnel

argot langage particulier d'une catégorie sociale
tuent assassinent

Georges Simenon et le commissaire Maigret

Maigret, le personnage de Georges Simenon, est un homme timide. Son signe particulier ? Il fume la pipe. Quand il mène une enquête, il essaie de comprendre la personnalité des protagonistes d'une affaire et il se laisse guider par son instinct. Maigret part en retraite* en 1972 après une longue carrière.

en retraite en pension

Activité

Connaissez-vous ce célèbre personnage ?
On le surnomme « le génie du crime » : ce grand criminel est un homme très intelligent. Son plus grand ennemi est l'inspecteur Juve. Pour savoir de qui il s'agit, complète la grille et lis les cases colorées.

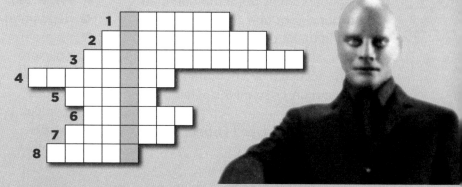

1 Le rival de Nestor Burma.
2 Dans les romans de Boileau-Narcejac il n'y en a pas.
3 Les romans de Leroux le sont un peu.
4 Le métier de Rouletabille.
5 La langue de San-Antonio.
6 Un trait de caractère de Maigret.
7 Rouletabille est rouge comme une...
8 La ville où vit Nector Burma.

Faisons le point !

Associe correctement.

1	☐ Il surveille les prisonniers.	**A**	greffier
2	☐ Prendre une chose qui ne nous appartient pas.	**B**	juge
		C	cellule
3	☐ Le métier de Ganimard.	**D**	enquête
4	☐ Ils racontent ce qu'ils voient.	**E**	témoins
5	☐ Les traces et les empreintes sont des …	**F**	évasion
		G	piste
6	☐ Quand on déclare ce qu'on a vu dans un tribunal on fait une…	**H**	gardien
		I	déposition
7	☐ On les recueille pour prouver un délit.	**J**	cambrioleur
		K	fouiller
8	☐ Il assiste les magistrats pendant le procès.	**L**	procès
		M	accusé
9	☐ On y enferme les malfaiteurs.	**N**	voler
10	☐ Une arme à feu.	**O**	preuves
11	☐ Les personnes qui témoignent au tribunal font une…	**P**	inspecteur
		Q	déposition
12	☐ On la mène pour connaître le coupable d'un délit.	**R**	assassin
		S	policiers
13	☐ On l'accuse d'avoir commis un délit.	**T**	capturer
14	☐ Quand un prisonnier s'échappe de prison.	**U**	indices
		V	revolver
15	☐ Ils travaillent avec l'inspecteur de police.	**W**	prison
		X	énigme
16	☐ Lupin est un gentleman …		
17	☐ Le magistrat qui rend justice.		
18	☐ Une affaire difficile à résoudre.		
19	☐ Chercher quelque chose avec insistance.		
20	☐ Synonyme d'arrêter une personne.		
21	☐ Le policier la suit surtout si elle est bonne.		
22	☐ Pierre Onfrey en est un.		
23	☐ Dans celle de Lupin il y a un lit et une table.		
24	☐ Lupin affirme qu'il ne va pas y participer.		

Contenus

Vocabulaire
Décrire une personne
La maison et les meubles
La justice

Grammaire
Le présent de l'indicatif
Les gallicismes
L'accord de l'adjectif
Les locutions de temps

Lectures (ELI) Juniors